D0177808

Van Ingrid en Dieter Schubert verschenen bij Lemniscaat

Er ligt een krokodil onder mijn bed!
Helemaal verkikkerd
Ravestreken
Ik kan niet slapen!
Platvoetje
Monkie
Wie niet sterk is...
Woeste Willem
Van mug tot olifant
Abracadabra
Een gat in mijn emmer
Dat komt er nou van...
Samen kunnen we alles
Er kan nog meer bij
Gekke buren
Mijn held
Krokodil is jarig
Net mensen
Engel
Ophelia
De paraplu
Mee met de paraplu
Gewoon gek
Piepkleine muis
Er ligt een krokodil onder mijn bed! (nieuwe editie)
Opvrolijkvogeltje
Ventje zoekt een vriendje
Moemf

Vijfentwintigste druk, 2018
Nederlandse rechten Lemniscaat b.v. Rotterdam 1986
ISBN 978 90 6069 640 8
Druk- en bindwerk: Wilco, Amersfoort

Dieter Schubert

Monkie

Lemniscaat Rotterdam

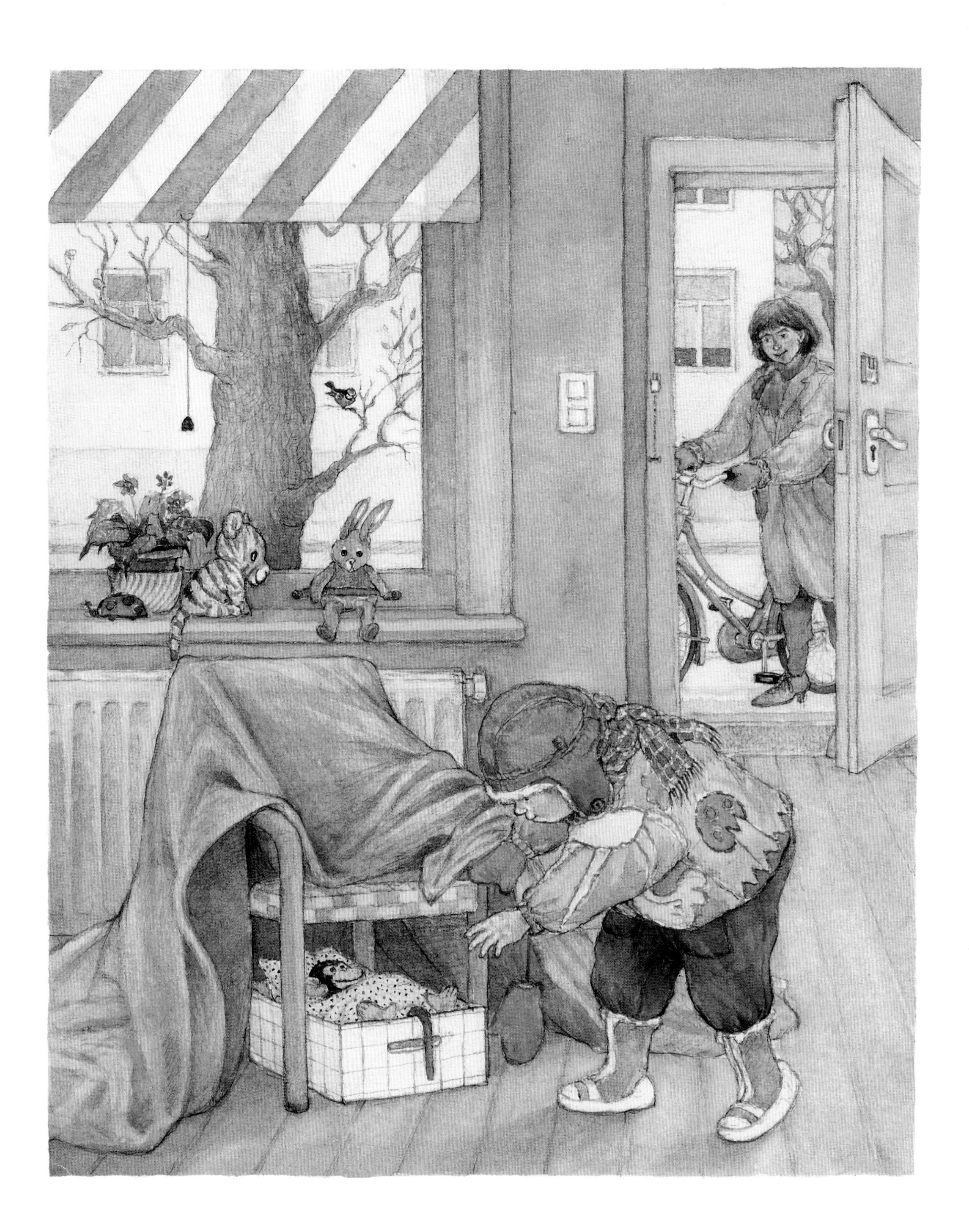

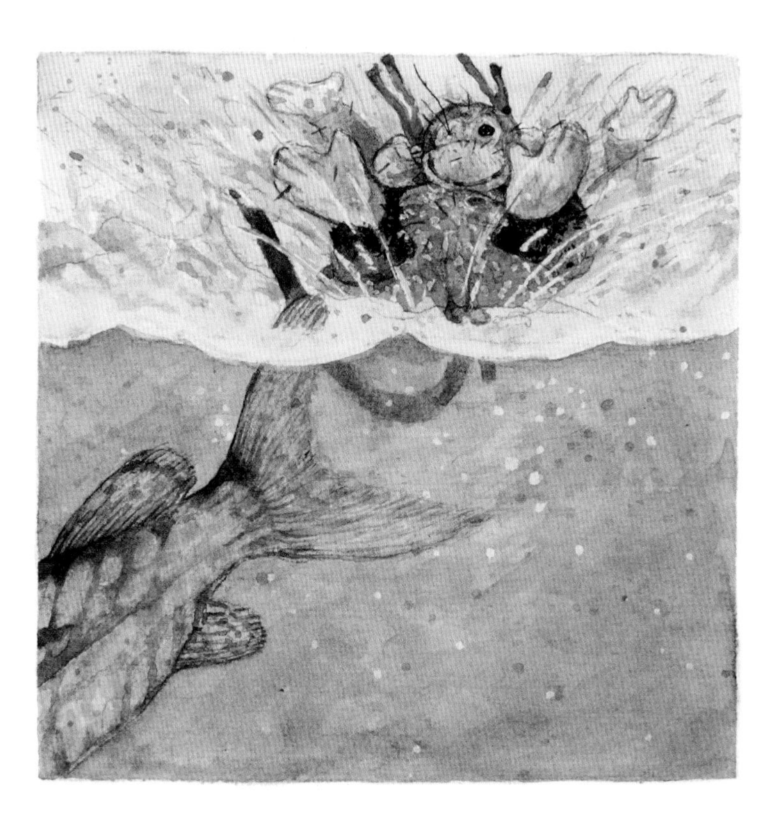

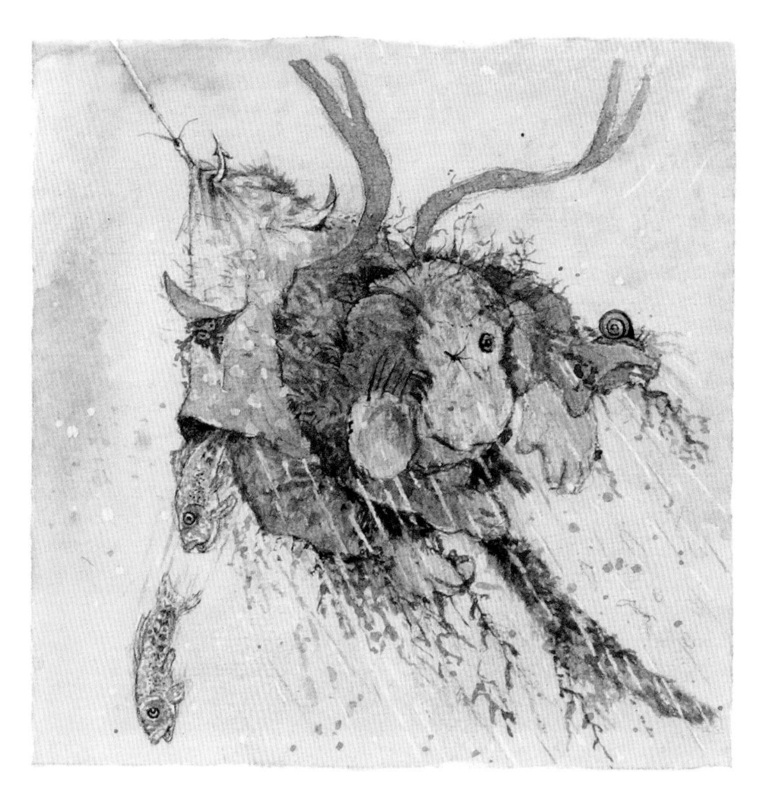

FRAGILE

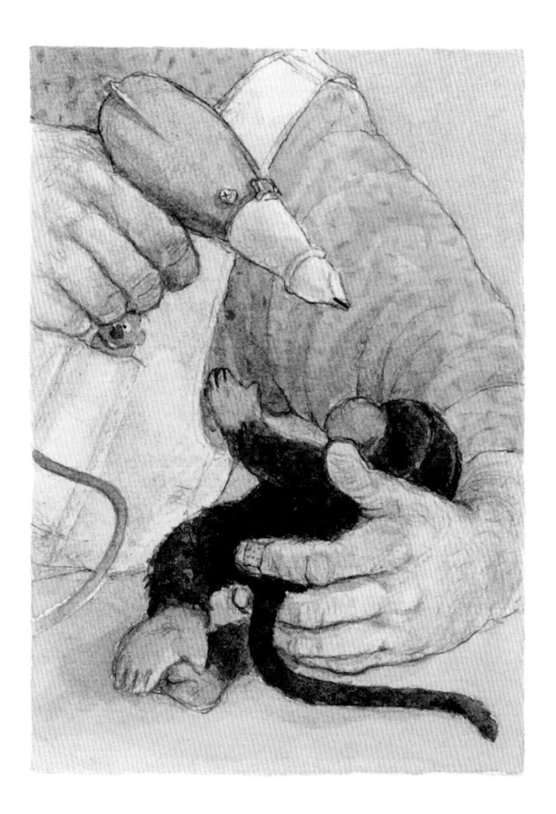

FRAGILE